KB003668

오늘은
유독 베개가
불편했다

오늘은
유독 베개가
불편했다

1부

2부

3부

4부

5부

| 아픈 계절 결핍한 나를 분해해보았습니다

아픈 계절, 결핍한 나를 분해해보았습니다.

다리는 이쪽으로, 팔은 저쪽으로, 그동안 외면해 왔던 것들을 분해, 펼쳐 놓아 보았습니다. 지키지 못한 친구들도, 매정하게 보내버린 옛 사랑도, 짧게 잘려 나간 머리카락도, 무게에 짓눌려 곪아 터진 어깨 같은 것들도 있었습니다.

여름이 더운지, 겨울이 추운지, 봄이 따뜻한지, 가을이 쌀쌀한지 계절과 상관없이 결핍한 탓인지. 분해되어 뿌려진 조각들 앞에 한없이 솔직해져 다가오는 감정들과 뜨겁게 포옹을 나눴습니다.

충분하게 울어도 괜찮다며, 미치도록 화내도 괜찮다며, 호쾌하게 웃어도 괜찮다며, 버티고, 버텼기에 비로소 당당해도 괜찮다며 칭찬 몇 조각 뿌려주고는 한참을 거울을 마주 본 것 마냥 토닥여주었습니다.

분해해 놓고 보니
갈아 끼워야 할 부품이 참으로 많음에도
굴러가는 육신에 고마워 한참을 지그시 쳐다보았습니다.

오늘은 아픈 계절,
결핍한 나를 분해해보았습니다.

-

방탕하고 방황하고 투쟁하고, 실수하고 싸우던 옅은 나이테인 본인을 살려준 영웅들 그리고 사랑하는 내 가족과 하늘에서 보고 있을 친구들에게 이 책을 헌정합니다.

--

난 쓰고, 찢고, 울고 무엇이 옳은 것이냐며 눈물 흘림에도 여전히 적고 있다. 나의 최선은 규탄받아야 할 것이 아니다.
처음이자 마지막으로 웃으며 거울 속 나에게 박수를 준다.

1부

보고 싶던 얼굴들이,
보고 싶기에 의미가 있다는 것

보고 싶던 얼굴들이
보고 싶기에 의미가 있다는 것을 깨닫게 되곤
손에 쥐었던 휴대전화를 내려놓았습니다.
변질되는 의미들을 마주하게 될까, 봄의 한 가운데 서서
마음속 한구석 그날의 감상으로 자리하게 두었습니다
반갑게 찾아올 소식 혹은 청천벽력 같은 소식을
마주할 때를 그리며,
보고 싶다던 얼굴들의 수를 세며,
창 밖 풍경을 오래 눈으로 따라갔습니다
보고 싶기에 마주하기보다 의미를 둠에 의미가 있다는 것에
썩은 세상이라며 미워하지만, 누군가를 그리워함에,
아직은 이 세상에 연정이 남은 듯.

본철

매일같이 잡부로서 일을 마치고
지독히도 작은방에 코를 박고 결핍을 그려대니
쌓아지는 종이만큼 먹먹할 수가 없다
작은 화면 속 이름 모를 가수들은 여전히 노래를 부르고
낮아진 친구들만이 옹기종기 모여
비명을 지르는 그림들을 자랑하곤 했다
내가 나로서 존재함에 의미부여 가득한 밤이 지나가고
언제나와 같이 바퀴가 되어 굴러간다

이 주는 유독 낮이 길다
봄이 온 것만 같이.

동경하는 꽃들은

손짓 한 번에도 눈이 가는 일인지,
내가 좋아하는 봄의 꽃들은 도통 나를 쳐다봐주는 일이 없다
압도되는 아름다움에 굳어버린 청춘의 소극적인 행동 탓인지,
향기를 흘려 보내주는 행동뿐

이기적인 견해이지만 다가와 주는 일에는
도통 흥미가 없는듯하다
돌려지지 않는 고개에 가슴 아리기를 거듭,
그대에게 다가가기 위해 이어보려 노력했던
나의 단단한 줄은
오히려 반대로 나의 가슴을 조여 답답함을 선사하고는
이어진 지도 아닌지도 모를 악세사리가 되었다
나의 감정을 권유하는 것 또한
이기적임을 알기에 남은 방도는 발전 없는 한탄뿐

보통 나는 나의 사랑을 영화로 보곤 한다
손에 닿을 듯 만져지지 않는 사람은 어째서인지
꼭 사라지지 않고 나의 주변에 희미하게 남아있다

꽃을 꺾어 품에 안으려 하기보다,
내가 꽃이 되어 그대 옆에 있기 위해
오늘도 나는, 나를, 너를 위한 물을 입에 한가득 머금어야겠다.

꽃을 꺾어 품에 안으려 하기 보다,
내가 꽃이 되어 그대 옆에 있기 위해

오늘도 나는, 나를, 너를 위한 물을
입에 한가득 머금어야겠다

혜아

혜야,

사랑하는 혜야

어찌 넌 이리도 아름다운지 잠투정 또한 그림 같아

영화 속 주인공이 된 기분에 감사한 마음을 이루 말할 수가 없다

한참을 쳐다보며 머릿결을 넘겨주다가도

비루한 나를 만나 불행한 너는 아닐지

올라오는 감정들을 차마 막을 수 없어

눈물이 흐르도록 가만히 두었어

몇 방울 흘리고 나니 그제야 이성적 판단을 할 수 있게 되었지

나와 함께라면 어디든 좋다던 너에게

좁은 곳에서 더 좁은 곳으로, 그렇게 좁은 곳으로

나는 줄 수 있는 게 아무것도 없는걸

가난 속에서도 너를 사랑할 만큼

나는 이기적이거나 못되지 못한 것 같아

삶의 질의 안위보다

너를 아프지 않게 보내기 위한 방법을 모색하곤 해

나는 이리도 비겁하게 너를 보낸다

언젠가 누군가를 만나고 사랑하고 교류해도

너라는 급류를 잊지 못함이 분명해

이기적 결정을 선택한 비겁자이지만

세상 어떤 손가락들을 다 모아도

내가 혜를 가장 사랑하는 사람임에는 굳건해

사랑하는 혜야 멀리 가라

사랑하는 혜야 저 멀리 가라

너와 같이 깨끗한 눈을 가진 이들을 만나

너의 영향을 나누어주라

나는 그곳에 다가가지 않고

멀리서만 지켜보며

너의 안위를 위해 기도할 터이니

사랑하는 혜야

사랑에 속함에도 이별을 고하니 미치도록 사무친다

오늘은 내 눈물 대변할 비나 잔뜩 내렸으면 좋겠다

나보다 네가 더 고대해 주던 책의 한 페이지

너에게 완성하면 전해준다던 편지를 실었다

혜야,

넌 나에게 삶이며, 숨이었고, 글이었다

사랑하는 혜야

너를 보낸 나는 마주치는 초저녁,

미치도록 사무치는구나.

- 동건으로서 옆에 지내던 수혁 드림

옅은 청춘

옅은 청춘들
뭐가 그리 급해 벗의 어깨에 이리도 많은 짐을 쌓아두고
급하게 떠났나
갑작스레 얻어맞은 소식에
나는 맘대로 죽을 수도 없는 몸이 되었네
급한 너희 보기에 벗은 충분히 책임을 다하고 있는가
세 살배기 동생은,
치매 걸린 노인네는 당신네들의 죽음을 아는지
벽이라는 도화지에 크레파스로 푸른 구름을 그려가네
가끔은 책임이 무거워 한동안 방탕했던 나를 용서하게
정답이 없는 문제 같아 괴로웠지만
내가 나로서의 주관적 책임을 짐에 거의 다다른 것 같아
염원하던 그날과 곧 마주할 수 있을 것 같네
사무치는 옅은 벗들, 고운 얼굴 보러 갈 날이 얼마 남지 않았네
혹 나를 기다리고 있진 않은지
사랑하는 옅은 벗들이여 금방 찾아가겠네
생을 살던 때 보지 못했던 아름다운 것들
함께 바라보러 가겠네
책의 마지막 장과 눈을 맞춘 뒤
단 하루 편한 잠을 이루고는 금방 보러 가겠네

옅은 청춘들
그대들의 벗은 자랑스러웠는지
부끄럽지만 작은 칭찬 한마디 기대하며 금방 가겠네
그립네,
나의 옅은 청춘들.

소국에

우리는 너의 쓰레기통에 있는 꽃이다
그리고 쓰고 찢고 여러 번 지우다 버린 종이이며
고귀하지 못한 마음에 귀속된 나라이다
더러운 것들 속에서 빛을 내고 있어 아쉬운 것들이다
빛나지 못한 소국에 청년들이 쓰레기통 속에서
열을 올리며 술잔을 기울이고 있다
탄성만 내지를 뿐, 혁명은 만들어지지 않는다
허물만 덩그러니 남아
희망이라는 이름의 빛이 들기만을 기다린다
부끄러움에 고개 한번 제대로 들지 못하는 소국에
청년들은 쓰레기통에 꽃을 피운다
쓰레기와 같은 감정들이 모여 대국에 봄을 가져다준다
소국에 가슴은 저 멀리 그들의 봄에 거름으로 있구나
선봉에 이토록 오르지 못하는구나
작은 그릇을 가진 이들의 가슴이 밤을 짙게,
더 짙게 만드는구나
3번째 손가락을 찢어 만세를 부르던
선조들의 한탄과 울부짖음이 꼭 민요 같구나.

부끄러움에
고개 한번 제대로 들지 못하는 소국에
청년들은 쓰레기통에 꽃을 피운다

육교

걸었다 그날따라 청계천의 육교는 유난히도 길었다
울었다 비애 가득한 짐승소리를 듣고 싶지 않아
고장이 난 이어폰을 다급히 찾았다
신분과 어울리지 않는 담배를 교복 안주머니 속에서 꺼내어
속이 울렁일 때까지 피웠다
학교 대신 일찍이 일을 해야 했던
코주부인 친구가 어깨를 다독여주며
출처 모를 술을 건네었고 몇 잔 목으로 흘려보내기도 잠시
다 떠나가듯 게워내는 등을 두드려주며
비루한 우리의 사정을 대변해 한숨을 쉬어주었다

잊어버리라는 진부한 위로가
나를 두어 번 정도 더 죽이고 나서야 그는 자리를 떠났고
코가 삐뚤어진 나는 아파트 앞 벤치에 앉아
사랑하는 노래를 흥얼대었다
20번이고 같은 노래를 반복하고 나서야
남은 눈물을 흘려보낼 수 있었다

아플 때 유독 집착하게 되는 구절을 발견했다
아플 때 유독 그 구절은 친절하게 다가왔다
아플 때 유독 너는 더욱이 차가웠다

그 아픔은 오래도 떨어지려 하지 않아
죽은 듯 아득바득 지내어 떨어지고 나니 겨울이 왔다
난 시린 펜을 부여잡고 이렇게 내려 적었다
'당시의 냉기의 반도 되지 않는 추위에 창피해져
난로의 코드를 뽑아두었다'

무엇이 불안한지 이제는 신분과 관여되지 않는 연초를
두 갑이나 구입해 쟁여두었다
몇 년 만에 냉수에 몸을 맡겼다

그제야 나의 여름이 갔다
그제야 나의 감정이 갔다
그제야 아플 때 유독 친절하던 구절에 진부를 느꼈다.

선선한
날씨기에

세월을 지닌 얼굴에 짙은 그늘이 있다
걷어내기엔 깊이 묻어 암만 세수를 해보아도
지워지지 않는다
사연을 지닌 피사체는 호기심을 유발하지만
편안함과는 거리가 먼지,
도통 유하게 섞이는 일이 없다
물과 기름 마냥 어울리는 일이 없다
번듯한 교통 없이 세월을 보내니
닦이지 않을 그늘만 묵묵히 짙어질 뿐이다
언젠가는 작은 인연 다가와
밝은 빛 피하려 그늘 밑 잠시 자리하겠지
사무치는 외로움 속 잘하고 있다며 스스로를 위로해보아도,
비루한 신발은 왜 인지 피눈물을 머금는다
그늘 밑은 선선한 날씨기에
'다들 한 번쯤 들려주세요'라며 속삭인다.

아픈 계절 속에 있네

아픈 계절 속에 있네
아픈 여름 속에 있네
팔을 들어낼 수 없어 한없이 더워진 몸이
매달자니 짧은 신발 끈에 버둥대는
안쓰러운 작은 등을 노려보네
더위는 버티겠지만,
추위는 방도가 없지 않은가,
하며 되뇌어 봐도
눈시울 붉히게 되는 계절은 마음에 닿을 리 없지

소년의 낡은 재킷 속
낡은 수첩엔, 이날의 것들이 가득히 적혀있네
당당히 꺼내어 볼 수 없는, 그런 것들이 가득 적혀있네
몇 번이고 지나쳤을 과거에 쌓인 상처는
살이 튀어나와 볼품없이 썩어가네
이제는 없어질 거라는 계절들에 모가지를 거네

그때라면 살고 싶어지겠지
옅은 빛이 생에 스미겠지 하며
오늘도 찾아올 계절에 모가지를 거네
내년의 빛은 노끈이길 믿어 의심치 않네
아픈 계절 속에 있네
지나갈 계절 속에 있네.

품에

너의 품이 너무 깊어
가벼운 관계로서 규탄하자니 깊숙해 버렸다
눈이 죽어버려 안정감이 절실히도 필요한 청년은
평탄 못한 인연과의 교통에 괴리감을 느끼곤 할 때
비로소,

'비'로서 너의 안에 있음에 축축이 젖어가곤 한다
지나가는 소나기는 아닐지언정 얇게 내리는 가랑비라도 되어
너의 어깨를 훔쳐 적시고 나면
안정을 찾을지도 모른다는 생각에,
딱하게도 약점을 모아 자랑을 하고 있진 않은지
필요함에 움직이는 충동들이
청년을 하찮은 인간으로서 비추고 있진 않을지
고질적인 문제다

공상과 현실을 구분하지 못하는 그 모호한 경계
때로는 감사한 품과 멀어진 관계.

너의 어깨를 훔쳐 적시고 나면
안정을 찾을지도 모른다는 생각에,
딱하게도 약점을 모아
자랑을 하고 있진 않은지

zipper

비가 오고
젖은 땅을 밟으니
지퍼가 고장 난 구두에 바다가 생겼다
물고기가 되어버린 구두는
함께 가자 손을 잡아끌었고
비로소
정신이 늙은 옅은 나이테들과 함께 갈 수 있었다
전부를 가졌기에
전부를 적을 수 없었던…
옅은 나이테에
눈앞에 랭보가 피눈물을 흘린다
지퍼가 고장 난 구두가 머금은 것들을 뱉어내었다
비로소 비가 그쳤다.

전부를 가졌기에
전부를 적을 수 없었던…
옅은 나이테에
눈앞에 랭보가 피눈물을 흘린다

2부

채웠다

외로움을 젊음을 태워 채웠다. 젊음은 하얗게 불타던 때를 잊고
는 다 타버린 채 재가 되어 수북하게 쌓였고, 결국 외로움을 쌓으
려다 만들어진 업보에 재채기를 여러 번. 결국은 쌓여있던 추억
가루 조차 날아가 버렸다.

부질없이 극심히 외로웠던,
여유 없이 여유를 탐한, 여전히 비슷한 실례 속에 살고 있다. 진
행되는 일 없이 성격의 빈 공간을 채워 넣으니 욕심이 너무도 커
져 걷잡을 수 없고, 그릇의 크기에 부재, 라고 칭하며 본인의 한
계를 만들어 사는 듯했다. 건강하지 못하다. 자연스레 밟고 있는
수순들, 유년기와 달리 점차 작아지는 목표들이 나의 목을 조르
고 있다.

이기적인 견해를 두 배로 지닌 나의 사상은 한없이 더럽혀지고
있지만, 한없이 행복하다며 스스로를 속이며 하루, 또 하루 지
탱, 무명 영화 같은 내 마음을 헤아릴 이는 오지 않았다. 혹은 내
가 찾지 않았고, 여전히 불안한 상태로 어딘지도 모를 길을 걷다
까진 무릎에 마음이 상하곤 한다. 여전히 아직 나에게 솔직한 빛
은 없다.

혹은 빛이 들어오려 했지만 솔직한 내가 없다.

한없이 행복하다며
스스로를 속이며 하루, 또 하루 지탱, 무
명 영화 같은 내 마음을 헤아릴 이는 오지
않았다

빛이 들지 않는

그대의 한탄과 잔을 마주친다. 잔이 깨지도록 건배를 하고 나서야 목이 마르다. 그땐 그러하였다. 평생 좁은 그릇 속 몸담았으니 우리가 거지인지 부자인지 알지도, 중요하지도 않았다. 그저 하루의 안위가 전부였고, 오랜만에 계산한 술값은 그날의 어깨였고 주장이었다. 웬 날은 당당히 계산하고는 길어질 대로 길어진 혀에 핀잔을 주는, 같은 처지들에게 생색을 내다 주먹을 섞는 일도 비일비재했다.

우체통의 소식은 희망이었고 탈출이었으며 나를 향한 소식은 없음을 알고 있음에도 괜스레 가슴을 뛰게 하는 것. 현은 항상 울었다. 바라왔던 게 이런 삶은 아니었다며, 술에 취해 벌게진 안경잡이 태수는 술에 취하면 시작되는 현의 푸념에 뺨을 올려치곤 했다.

시대는 아직 다가오지도 않았는데 초 친다며,
침을 뱉곤 했다.

우물의 크기조차 모르는 개구리들은 그렇게 늙어갔다.
큰물을 맛본 개구리들은 우물의 존재를 깨닫곤 저 멀리 빛이 드는 곳으로 가고자 부단히 노력했지만, 항상 얼마 지나지 않아 큰 상처를 안고는 빛이 들지 않는 곳으로 돌아오곤 했다.

오랜만에 계산한 술값은
그날의 어깨였고
주장이었다

비약이 심할지언정

가난해서 공장을 택하고, 손가락을 잃었다, 그림을 그린다 했다
비약이 심할지언정,
부모, 사랑, 그림마저 **빼앗아** 갔다 했다
신은 없는 게 분명하다 했다

딱히 하고 싶은 일은 없다 했다
공책에 낙서를 갈긴다
그의 부모는 갈겨진 낙서 속 소질을 발견했다 했다
비약이 심할지언정,
버스 한 대를 놔주고 빛나는 곳으로 간다 했다
갈겨진 낙서가 모여 전시회를 낳았고
갈겨진 낙서 속 발견된 소질은
그를 젊은 예술가 따위로 불리게 만들어주었다

하고 싶은 일이 가득하다 했다
여유는 지네 집 사전엔 없단다
지켜보기에 재능 또한 가득했다
그 재능 빛바랠 때까지 몸을 굴려 일을 한다
지치고 지쳐 집으로 발을 돌릴 때면 영감 따윈 떠나간 지 오래다
지쳐 잠을 청하려 침대에 몸을 맡기자
배곯은 동생들의 신음소리가 들린다
못 본 척 주먹과 함께 눈물을 삼킨다

빛나는 재능이 단칸방 속 죽어간다
비약이 심할지언정

건물 하나 놔준단다
흥청망청 20대가 지나고
생전 듣지 못했던 것들을 개발한다 했다
이름은 사장인지, 비싼 술값을 계산하고는
빛나는 것들을 만나러 간다 했다
중지와 약지가 없는 가난한 이는
비약이 심할지언정,
그날따라 의견을 내는 법이 없었다

취해 같은 길을 걷지만, 다른 무게를 짊어진다
비약이 심하지만 그 또한 재능 차이리 하며
걷고 또 걷는다. 어지러움이 몸을 삼키는 것만 같다
술이 걷는 것만 같이 느껴진다

비약이 심할지언정.

오늘은 유독 베개가 불편했다

죄송합니다

배부른 척해서 죄송합니다
배가 무척 골아 찢어지는걸요
어른인 양 행동해 죄송합니다
성숙의 끝은 동경인 것만 같네요

괜찮은 척 행동해 미안합니다
담아두고 참아야 했던 것이
가득한 답답한 가슴에 불을 질러 버렸습니다
그리하여 결국 '쿵'
떨어질 일 미루고 미루다 두려움만 늘어나,
폐를 끼치고 말았습니다

지구 평화를 수호하는
지나가는 노란 옷의 유치원 친구한테 또한 미안해요
오늘도 낡은 눈으로 텔레비전 화면을 쫓습니다

내가 의자인지, 의자가 나인지,
구분 못 할 때 즈음 무감각해진 허리를 두드리며
저려오는 느낌을 받을 때 살아있구나 하며 탄식

눈을 뜬 채 마음이 죽어버려
흘러내린 방울들을
주워 담는 일조차 포기해서 편해진 요즘
커튼 틈 사이의 빛이 야속해,

소리 내 울어버렸습니다.

누구보다 주관적으로 신성한 그대들

과거의 행적에 묻혀 현재의 영향을 잃고, 대중 속 하나의 젊은 가수가 죽었다. 목소리는 살아 있음이 분명했다, 음반 속 살려 달라는 목소리를 마주했기에.

작품의 주인이 더러운 과거의 행적을 지녔기에, 더러운 음악으로 치부되었다. 앞으로 공공장소의 잡음과 더불어 화음으로 만날 일은 없을 것이다.

난 여전히 사랑하고 있다.

대중으로부터 예술가로 인정받기 위한 성립 조건 속엔 기억될 미담과 인성, 그리고 재능 따위가 자리 하는 듯하다. 대중의 뱁새눈이 얼마나 많은 작품을 죽였는지, 손가락이 모자라 세는 일을 그만두었다. 작품 속에서 찢어지는 고통스러운 비명을 들어 접하는 일을 꺼리게 되었다.

그렇게 오늘도 하나의 작作이 죽었다.
누구보다 주관적으로 신성한 그대들로 인해,
주관적 판단과 잣대에 의해,
억울한 재능이 잠식되었다.

주관적으로 신성한 그대들로 인해.

누구보다 주관적으로 신성한
그대들로 인해
주관적 판단과 잣대에 의해
억울한 재능이 잠식되었다

오늘은 유독 베개가 불편했다

젊은 친구가 죽었다. 함께 보낸 젊은 시간도 죽은 시간이 되어버렸다. 사람이 죽거든 흘려진 눈물방울 모여 가는 길 편하게끔 무지개를 피운다고 믿고 있기에, 오늘 하루를 통째로 흘려내 긴 무지개를 만들어주었다. 서로의 몸에 남긴 감정들을 주제 삼아 취하고 노래하고 울며 보냈던 시간들이 무색해져 버렸다.

어쩌면 그녀에게 세상은 유독 빨랐는지도 모른다. 느낌이 이상하다며, 전화를 걸어보라는 벗들의 말에 걱정 말라며 웃어넘긴 그날, 걱정 없이 내려둔 전화기와 손을 한동안 죽을 듯이 미워했다. 아쉽게도 우리의 주변엔 존경할 만한 것들이 자리하지 않았으니, 타의로 인해 가지고 태어난 생이 순탄치 못했으니, 아름다운 그곳에선 예전 나누던 감정 전부 나에게 다 주고,

행복하기를 염원한다.
마주할 때를 고대한다던 영원한 사랑을 만나기를 기도한다.

오늘은 유독 베개가 불편했다.
믿고 싶지 않았다.
그리고 그녀가 사무치게 그리웠다.

(꽃 한 다발 놓아주지 못했다 비겁했다.)

오늘은 유독 베개가 불편했다
믿고 싶지 않았다
그리고 그녀가 사무치게 그리웠다

나쁜 소식

부고 소식 접하고 늙은 버스에 올라탄다. 동결되었던 감정을 오랜만에 마주하고 생과 사를 오고 가는 소식이 아니면 모이기 쉽지 않던 벗을 만난다는 생각에, 상갓집에 감에도 출처 모를 설렘을 느낀다. 참으로 모순적임에 인격을 의심하게 된다. 사람의 손으로 만들어진 공간에 사람들의 슬픔과 한숨들이 가득하다. 언제와도 적응하기 쉽지 않다. 슬픔과 반가움, 위로가 공존하는 불쾌한 시간이 지나간다.

오래된 애인의 연락이 울려온다.
저녁시간 전엔 도착할 거라며 죽은 내 친구보다 나이를 더 먹은 버스에 몸을 맡긴다.
좌석이 비좁다. 친구 또한 좁은 관에 몸을 맡긴다. 관이 비좁다.

내 친구보다 나이를 더 먹은 버스가 도착을 알리고,
그대도 하늘 끝 다다랐겠거니, 하며 오늘의 추모를 마친다.
누구나 그렇듯 끝은 한순간에 찾아오는구나 하며.

끝이 언제 올지 모름에도 여전하게 굴러갈 생을 위해 집으로 지루한 발걸음을 옮긴다. 내 차례가 있음에 이젠 더 이상 과한 추모를 피한다. 이러면 안된다는 걸 알면서도 적응이 되어버렸다. 오랜 벗과 다음의 만남을 기약했음을 기억한다. 다음엔 그 누구의 부고가 만남을 성사시킬지. 내가 행하는 모든 것들이 작아 보인다.

크게 보아 나의 행동 개미 같을 것만 같아,

개 꼬리만한 영향력을 가지려 부단히 노력하는 사람들을 이해하려 애썼다.

끝이 올지 모름에도 내일도 난 여전하듯 출근을 위해 집을 나설 것이고,

나보다 나이를 더 먹은 버스에 몸을 실을 것이다.

찾아다니던 설렘을 건넬지 모르는 언젠간 찾아올 나의 부고에 감사하며, 머릿속 무뎌진 생의 공감능력을 그렸다.

나보다 나이를 더 먹은 버스에 몸을 맡긴다.

그대 나의 흐르는 피가 되지

그대 나의 흐르는 피가 되지
물에 섞여 희미해진 색깔의 의미를 바로잡을
그런 사람이 되어주길 바라지
독한 술의 빈 병에 꽂혀 있는 시든 꽃과
지쳐버린 필름 사진 몇 장이면
글이 쏟아져 나올 그런 사람임을 알기에
소유하지 못함에 불안해 잠 못 이루는 나를 알 것이라 믿기에

그대 나의 흐르는 피가 되길
부탁과 통보의 애매한 물줄기를 갈라
목을 타고 내리는 피가 되어주길
소유에 대해 고뇌하며
충분하게 나의 겉옷을 적셔도 좋으니,
시든 것들 잔뜩 버려주어도 좋으니,
그대 나의 흐르는 피가 되길

기도하고, 염원하며.

검정,검정,검정

검정,검정,검정
묻어 있는 것들
(비겁함을 그려 나가는 일에)
입는 검정과 뱉는 검정
-6이 되어버려 슬픈 고아들이
애먼 벽에 아픈 것들을 그려 내렸고
그렇기에
울컥하고 쏟아져 나오는 감정들은
때때로는 검정이 아니었다
낡은 창고에 처박힌 같은 처지의 친구들은
서로를 공인이라 칭하곤 했다
이루어 낼 수 없기에
이룬 자들을 흉내 내려 했다
피 팔아 먹고살던 친구는
검정이기에 자주 눈물을 흘렸다
글을 읽지 못함에도
친구의 시집과 함께 전철에 오르곤 했다
내일이라는 오늘 속
검정이곤 했다.

거북아

거북아,
오늘도 나는 죽지 못하였구나. 차가운 바늘이 혈관을 타고 찌릿
하게 아픔을 안겨줄 때, 그때 그 순간마저도 입술이 말라 타들어
가는 와중에도 만들어놓은 결과를 책임지지 못하고, 내 두 번째
손가락들을 보러 가지 못하고, 아등바등 살기 위해 마음 한편으
로는 살려 달라 기도했구나.

거북아,
여전히 저질러놓은 업보에 비해 나는 참 약하고 악하며 더럽다.
이제 그만 괴로워도 되지 않을까, 하며 연필 아프게 의미 없는 글
들로 공책을 채우고 나서야 지난밤 술에 의지해 움직인 육신이
부끄러워 이불 속에 몸을 숨기는구나.

거북아,
요번 연도 내가 뚜렷이 지켜본 세상엔 밝은 표정과는 반대되는
것들을 뱉어내는 괴물들이 가득 했어, 무려 오늘 저녁까지만 해
도 내 옆에 말이야. 오전엔 정말 행복했는데 나 어쩌다 차디찬 침
대 위 조그마한 몸에 기계가 주렁주렁 가족의 탄식을 들어야 하
는 걸까.

거북아,

나를 진정 사랑 혹은 사람이라는 단어를 통해 대해주고 채워줄 사람은 없음이 분명해서 이제는 더 깊게, 더 멀리, 더 어둡게 숨을 생각이야. 나를 기억하지도 찾지도 못하게 빛이 바랜 재능을 작은 방에 옹기종기 모인 사람들에게 나누어 주고는 팔을 붓 삼아 붕붕 크게 몇 번을 휘저으며 엉망이 된 방의 모서리로 향할 생각이야.

거북아,

우리 참 느리게도 멀리 왔다.

슬프게도 잘못된 길을 믿고 믿어 멀리 왔다.

목을 웅크리고 딱딱한 돌처럼 보일 수 있게 잠시 숨을 멈추어보자.

그리곤 다시 느릿하게 움직여 꿈에 그리던 초록 섬에 가자. 파도와 함께 왈츠를 추자. 바람에 날리는 모래를 눈으로 따라가자. 괜찮은 경주였던 척 머쓱하게 아쉬운 미소를 보이자.

부디 꼭 그러자.

3부

계절을 합치면

계절을 합치면 아픈 것이 두 배로 올까

눈물이 방울방울 아쉬운 것들이 방바닥을 향한다
너의 다문 입과 고뇌를 증오한다

계절을 합치면 아픈 것이 두 배로 올까

그럼에도 눈사람과 벚꽃을 함께 보여주고 싶었다
꽃놀이와 눈싸움을 함께 하고 싶었다

아픈 거 잊고 두 배로 쌓이라는 핑계가 필요했다
고요를 위해 전진한다

아픔을 두 배로 받아 부러지는 뼈에도
입가엔 미소뿐임을 알기에.

그 정기장을 지날 때면
고개를 숙였다

그 정거장을 지날 때면 고개를 숙였다
각진 과거들
완벽하고 싶던 것들은
서 있을 자리를 잃었고,
작은 소년이 책임질 수 있는 일은
비상계단 속엔
단 하나도 없었다.
정거장을 지나치듯,
스쳐 지나간 교복 속 서툴렀던 것들은
마음 한편 자리하며
아리게 기억된다
들어오는 열차에 발걸음을 옮긴다
그 정거장을 지날 때면 고개를 숙이곤 했다.

녹탄블 있나

어두운 단칸방
초와 나 하나
그리고
아깝게 깎여나간,
날아다니는 목탄들 있다
숨을 크게 마시다,
기침을 하는 일을 반복했다
굳은살이 베긴 손을 바라보다
무지하기 짝이 없다며
그림자를 걷어내곤 했다
지성을 가지고자
목탄과 종이를 입에 한가득 물곤 했다

그렇게라도 시에 살고 싶었다
시에 살고 있음에
시가 되고 싶었다.

그렇게라도 시에 살고 싶었다
시에 살고 있음에
시가 되고 싶었다

비, 상마

비가 내린다
쉼 없이 내린다

방 안엔 글과 네가 있다

전부를 가진 사람은
전부를 적을 수 없었다

신발장 앞 조신히 기다리는
장마가 왔으면

버린 종이를 만들어내는
손을 몇 번이고 씻어낸다

장마 속에 자리하고 싶었다

쉼 없이 내리듯,
쉼 없이 내려적고 싶었다.

전부를 가진 사람은
전부를 적을 수 없었다

요즘엔

지나간 일들이 기억나질 않는다
대답하는 목소리에 이질감을 느낀다
귓속에서 한참을 울린다
보통 바라보며 적는다 했지만
가진 걸 털어내는 경우엔
쌓이기를 기다리는 일이 답답하기만 하다
뱉어낼 게 없어
구역질을 하곤 했다
그렇게라도 해야 편해졌다
무지하기에 편안할 수 있었구나

그렇기에
그릇된 사상을 품을 수 있었구나
배우고 게우고를 반복,
괴롭게 도달하는 날을 고대한다.

배우고 게우고를 반복,
괴롭게 도달하는 날을 고대한다

아무튼

반복되는 일상이 계속된다
젖은 셔츠가 짐을 짊어진 어깨를 괴롭힌다
우리에게 결핍과 고난은
무거워야 하는 것, 이야기해선 안 되는 것
소중한 밥상 친구들의
어깨에 얹어 주어선 안 되는 것
그렇기에 당신은 영웅이다
그렇기에 누군가의 부이자 모이며,
혹은 하나뿐인 딸과 아들이다
지친 퇴근길
휴대폰의 액정 뒤로
싹을 피우는
처음 마주한 꽃이 보인다
우리와 같이
이름을 알지 못하는
우리와 같이 때를 기다리는 아름다운 꽃이
만개할 때를 조신히 기다리고 있었다.

잃었기에

잃었기에 적었는지
적었기에 잃었는지
지나간 것들은
가슴을 떨리게 할 자격을 잃는다
잊어버린 과오는
늦은 봄의 꽃처럼 가끔 찾아오곤 한다
다시 태어남에 성명을 새로 한다
바뀌어 가듯
잊혀가는 것들에
만개하여 용기가 되기를.

T

힘든 티를 내는 일도 줄여야 했다.
책임져야 할 것들이 가득했기에,
책임이라는 단어가 끝이 없어 사랑할 수 있었다
책임을 다하면 건너고 싶었기에,
책임을 다했다는 말은
그들의 설을 통해 듣기 전엔 도피 따위일 뿐이기에,
죽은 이들이 이야기 해줄 일은 없었기에
다행이라 생각했다
넘고 싶던 강들을 적은 노트를 버렸다
재가 되고 피가 되고
소년이 청년이 되어도
바램은
항상 욕심이라 치부되었다
책임에 엮여 십자가를 짊어지고 살아내야 했다
그것이 삶이라고 생각했다
끊임없이 걸어내야 하는
그런 것들.

책임에 엮여
십자가를 짊어지고 살아내야 했다
그것이 삶이라고 생각했다
끊임없이 걸어내야 하는
그런 것들

계절은

동동 구르는 발아
너는 물들어가는구나
계절을 상징하는 문장들이 진부하니
우리들의 언어로 대화를 나누자
오른발과 왼손을 마주치고
열심이지 않은 사람들에게도
격려의 박수를 주자
빛이 나지 않는 우리의
계절은.

오른발과 왼손을 마주치고
열심이지 않은 사람들에게도
격려의 박수를 주자

light

업신여기는 눈빛들

그것들이 모여
나를 죽이고,
너를 죽이고

가을
혼자로서 버티는 것들

차단된 연락처와
옛 벗들

나와 엮여 아프지 말라며
바래어가는 빛들을
한 줌,
한 줌 보따리 속
소중하게 모아

선물하게 될 날을 기다리며.

나와 엮여 아프지 말라며
바래어가는 빛들을
한 줌,
한 줌 보따리 속
소중하게 모아

선물하게 될 날을 기다리며

언너딕

립스틱이 묻어있는 잔과
더럽게도 떠들어대는 세 치 혀들
때때로 아쉬운 것들은
그녀들의 주머니에 매달렸다
그 속에 기생하며 사랑을 흉내 내는 것들을
우린 기둥이라 부르곤 했고
중심을 잡지 못하는 기둥들은
꿋꿋한 두 다리를 욕보이곤 했다
그럴수록 잔은 쌓여갔고
이가 나간 것들에겐 기회란 없었다
어울리는 것은 파란 봉투뿐
같은 색의 하늘은
비라는 눈물을 흘림에도
이가 나간 잔은 여전하게 존재했다
그렇게
뚜렷이…

같은 색의 하늘은
비라는 눈물을 흘림에도
이가 나간 잔은 여전하게 존재했다

43

모든 소리가 멈추어 있는 곳
공간 속에 숨겨진 곳

머리인지, 가슴인지,
양쪽 다 해당 사항인지
망가진 이들이
모여 앉아
보드게임을 하고 있습니다

누가, 누가 우는지는 안중에도 없습니다
주파수를 잃어버린 텔레비전을 지나가듯 쳐다보는
내가 건네는 소식들이
누군가의 하루의 안위를 결정하는 공간

아마도
이제는
43이라는 커다란 세상 속

바라고 바라는
-43

누가,
누가 우는지는 안중에도 없습니다
주파수를 잃어버린 텔레비전을
지나가듯 쳐다보는
내가 건네는 소식들이
누군가의 하루의 안위를 결정하는
공간 ─

4부

04.19 film

즉석사진 몇 장이 잃은 듯한 순간을 아찔하게 잡아두었습니다. 꾸밀수록 웃긴 단칸방에 의미부여 가득하게, 다문 입에 옷걸이 마냥 걸어두었습니다. 몇 해가 지나도 변하지 않는 사상은 재미있게 다가오곤 했습니다. 회피하던 카메라 렌즈를 응시,

이제는 그래도 된다고 했습니다.

회피하던 카메라 렌즈를 응시,
이제는 그래도 된다고 했습니다

—

그림같이 그리운 것

이생을 보면 바다가 생각나곤 했다
저 멀리 선착장에 누가 있는지
바다 한가운데 서서 쳐다보면
그림같이 그리운 일이다

비릿한 냄새가 익숙해
상처가 낫나 몸을 더듬었다
선착장에 배가 들어왔다
그러니 나무들이 뼈를 앙상하게 드러냈다

벗은 모습이 부끄럽다며
새 옷의 배송을 기다린다고 했다
시간이 필요하다 했다
지퍼가 고장 난 구두에 올라탄다
높은 곳에서 조금 더 선명히
그림같이 그리운 것들을
쳐다본다

그림같이 그리운 것들을
쳐다보며.

높은 곳에서 조금 더 선명히
그림같이 그리운 것들을
쳐다본다

새벽

새벽이 길다
오후엔 약속이 있는데
자신은 없는데 몸은 또 찾는다
반은 남은 게 가득 있는데
또 새 걸 사 온다
책상이 더러워 시작하지 못한다
대형 쓰레기봉투를 구입했다
묶음 말고
낱개도 있다고 했다
어쩌면 날개도 있을 거라 했다
날 수도 있을 거라 했다
분명하게 그래야 확신이 선다 했다
서있는 건 하나는 아니었다
분명히
날고 있는 것도 하나는 아니었다
분명하게도.

1,3,2

3은 자신이 있었고
1은 난간 앞에
2는 이해하려 해도 이해하지 못했다
이해를 바라서 만든 게 아니라 했다
3은 말을 더듬었지만 깔끔했고
1은 속이 깊었다
(보이기에 너무도 작았다)
2는 작가라고 누군갈 불렀고
호칭에 창피한 사람은 1인지, 3인지
얼마나 모자랐는지 1도 알고 있었고
기댈 때가 딱히 없었을지 모른다
난간의 손잡이가 오히려 편 같았을지도 모른다
결국엔 그 끝엔
1, 2, 3 도
1, 3, 2 도
각자 다른 아픔을 지닌 숫자 셋이 모여도
결국엔 그 끝엔
지나쳐가는 것들이 숫자보다 많아도
느끼는 것들이 숫자보다 많아도
맞이할 것들은 누구든 같아 보였다
1, 3, 2가 같아 보이기 시작했다.

높게, 낮게

중독자의 모습은 처참했다
울부짖지 말라며 건네받던 것들은
행복과는 거리가 먼 것들이었다
핏줄이 확대된 듯 마른 몸과
사랑하는 이들을 저버리고
사랑한다는 것들

누군가 미국이 어디냐 물었고
누군가는 코앞이 미국이라 했다
다 같이 한참을 웃었다

높은 것들에 몸을 맡겼다
길어지면 길어질수록
한없이 낮아만 갔다
산송장과 다름없는 이들이
내일의 계획을 이야기했다
실소가 터져 나왔다
가슴에 묵힌 것들을
다들 토해내기 시작했다

내일이 왔다
시간의 흐름을 기억하지 못한 체
또다시 내일을 계획했다
지금을 사는 사람들이
내일을 다시 또다시 계획했다.

별

그동안 때리고 간 영향들이
하나, 둘 모이기 시작했다
한쪽에 머무르지 않고
섞이기 시작했다
조금씩, 조금씩,
무언가 자신하기 시작했다
될지도 모른다는 것들에 대한 향연
내가 나에게서 벗어난 느낌
손이 저려온다
말라오는 입술에 커피 세 잔을 던져주었다
희망을 찾을 생각 같은 건 추호도 없었다
그래서 가을이었다
사색하는 계절이란다
그렇기에 완성할 수 있었다
잊자고 마음먹은 과거를 이용해
끝장에 모서리를 살포시 접을 수 있었다.

-7

가족이라 할 것들이 이제 남지 않은 것이다
부르면 가슴 아릴 것들이 딱히 없어짐에
삶에 대한 미련도 적어지는 일이다

토해대던 하수구와 전봇대에 미안했다
자리하다 맞아간 것들에게 사죄했다.

등

누구 못지않게 멀리서 사랑했어도
넌 가까운 바보들을 선택하더라

비에 젖어 떨며
이별에 아픔을 표하는 너의 등에
위로할 수 없는 위치의 나이기에
더 슬픈 것 같아
아끼던 것들이 무엇인지 고민했다
너의 주변에 맴돌며
함께 걷는 길에 행복해서 원통해
알지도 못하는 너의 사랑이라는 이를
괜스레 시기하며 욕보이기도 했다
다가갈 수 없기에
자리할 수만 있다면,
하며 고민뿐인 책상에 머리를 처박았다.

이별에 아픔을 표하는 너의 등에
위로할 수 없는 위치의 나이기에
더 슬픈 것 같아

장이 이쁜 날,
나열

행복해서는 안 되는 이유를 나열
책임져야 하는 것들을 나열
지어온 업보들을 나열

차는 일이 없던 종이가 살색을 감추었습니다
이유를 만들어야만 했습니다
희미한 빛을 쫓기엔
얕은 마음과 얇은 다리이기에.

안정

다치지 않은 손에 괜히 반창고를 붙였고
안정을 원하는 몸은 반창고에 기대었다

포옹이 필요한 요즘, 거절하는 꽃을
억지로 껴안자 무엇이든 왔다

내가 타게 될 차는
참으로 길고 검구나.

ㄱ

내 유년기가 죽지 않게 전부 기억하자
중앙공원 모여 앉아 부딪히던 잔들을 기억하자
뜨겁게 사랑했던 유년기의 비상계단을 기억하자
같은 사정의 청춘들이 죽일 듯 미워 섞었던 주먹들을 기억하자

내 유년기가 죽지 않게 전부 기억하자
죽은 후에 부질없지 않았다
이야기할 수 있게

조약돌만 한 추억에 세계 의미부여를 내리자
소년이 지어야 했던 어른의 책임을 기억하자

기억하자.

세 번째

임이 괴로워하는 걸 보고 싶어
임에게 할 수 있는 최고의 찬사
막혀오는 숨통과 핏줄이 잔뜩 드러난 손

나는 밤에 교인인가,
나는 밤에 심히 감정적인가

세 번째 발을 뚫고 나오는
동물 같은 손가락들,
찬사를 위해 움직이자던 몸들,
그렇기에 존재하는지

네가 괴로워하는 모습은 나에게
감탄을

임이 괴로워하는 걸 보고 싶어
쳐다보는 핏줄이 튀어나온 손들.

도작

살아 죽던
죽어 살던
이렇듯 자리하고

어려운 단어에 싫증이 나고
이해하기 편한
아마도 그런 것들이
당연한 게 당연하지 못하여
이렇게도 굴렸는지

집어 들자니 너무도 더러워
누가 한 일인가 했다

잡힐 사람은 누구일지
아무튼 방은 좁고
좁혀진 건 둘에서 셋뿐이다

난 이렇듯 자리하고 자리하며
완성하고 실패하고 아프기도 하지만
침대의 온기는 몇 분 전에 것인지
따뜻하다
내가 가는 길이 틀림없다
믿던 동물들이 그렇게 모여
결과를 만들어냈다.

난 이렇듯 자리하고 자리하며
완성하고 실패하고 아프기도 하지만
침대의 온기는 몇 분 전에 것인지

—

5부

사색

이문열의 〈사색〉을 접했다.
대가의 사색을 훔치는 대가가
'8,000냥' 횡재로 하루를 엮었다.
방대한 지식으로 통관 당한 나의 비루(글) 들은
당연함에도 비성숙의 분노를 지니고 다가와
원고를 폐기하고 싶은 충동을 가지게끔 하였다.
"저급한 쾌락 따위, 젊음의 일회성에 대한 지나친 강조 따위
(중략)"
구멍을 찾고 있다.
발가벗겨져 명동 한복판에 던져져도 이보다 창피할까.
'나의 작作은 내 사랑이며, 자랑이며, 솔직하기에 그지없다.'라며
생각하고 깎아내며 모아 적어 내렸지만,
오전의 독서가 알량한 자신감과 지식의 얕은 깊이를
뚫어내어 버렸다.
이러하여 책 한 권을 내려 적는 경우엔
다른 창작을 읽음에 불편하다며
한심하기 짝이 없는 변명을 내뱉으며
본인의 미숙함을 알고 있음에도 애써 부정하려 했다.
침울해진 오전에 글을 내려놓고, 천천히 읽어나가기를 계속
'절망이야말로 가장 순수하고 치열한 정열이었으며 구원이었다.'
아 살았다.

대가를 찾아준 절망이

대가가 적어내린 한 줄이

나를 살렸다.

다행이다. 꾸준히 나의 최선을 적을 수 있게 되었다.

나의 작作은 그렇게 조금씩 천천히 완성에 가까워지고 있다.

물론 작업 도중 그의 책을 접할 때 난 한없이 성찰하고

여전하듯 부끄러워하고 있다.

1991.7.8. (月) 책의 첫 장에 어색한 글씨로 적혀져 있었다.

91년도 그들의 사색에 커다란 박수를 보낸다.

창 밖

하루가 모여 달이 되고, 달이 년이 되어 나이테가 짙어져 가는 요즘, 흥미를 도둑맞음이 분명하다. 벗과의 약속에도 고민이 모여 가장 밝은 빛을 내야 책임을 다할 수 있는 서울의 화려한 불빛 속, 술과 함께 흘려보내는 밤과 저급한 대화도 의미가 퇴색되고 있었다. 약속 당시의 교류와 대화보단 약속을 나가기 위해 몸을 실어야 했던 지하철 속 나의 공상이 더욱이 사랑스러워졌다. 술의 기운을 빌려 막힘없이 이어나가는 대화보단 잠깐의 정적 속 나의 공상이 소중해졌다. 무료함을 이겨내지 못하고 뒤적이는 연락처보다, 영화의 장면을 죽은 듯 따라가는 눈과 한가한 두를 사랑 했다.

혼자여서 외롭기에 행복한 것일지도 모른다는 생각을 하고는 실소가 터져 나왔다.
우울, 연민, 동정 혹은 호감 같은 일상에서 종종 발견되는 감정들이 벌겋게 타올랐다.

'시를 살지 않으면 시가 나오지 않는다.'라는 영웅의 말을 기억한다.
핸드폰을 만지는 일이 줄어들었다.

학창 시절 수업보다는 창밖을 바라보는 일이 잦았던 수학 선생의 등을 기억하게 된 기분.

누구보다 열심히라며 멀리 가지 않을 열정을 불태우다 첫 장만 읽게 된 시집이 된 후, 집 현관 구석에 말라비틀어진 화분을 발견했다.

이 얼마나 답답히도 무심히 지나친 배경인지.

영원, 념원

내일의 근심보다
미래에 대한 불신보다
지금의 우리의 행복함이 주가 되어야 한다고 생각한 듯,
생각에 객관이란 없지만
답이란 주관으로 우리 안에서
정해진 답들

그대라는 호칭 혹은 애칭 따위를 지니는
잠을 자고 일어나 볼품없는 모습에 웃음 짓는
일의 피로에 쓰러져 자는 모습에 머리를 넘겨주는,
사랑이 만들어 낸 시선으로 하루가 모여 달이 되고, 년이 되어,
미래가 되는 일.

나는 영원히 육신으로서 옆에 남지 못하더라도, 깊은 추억을 그대 마음 깊이 새겨 가슴 속 한편 영원토록 함께 하고 싶어 욕심을 부린다. 좋든 싫든 이별을 맞이해도 또한 그렇지 않은 백년가약에 살더라도, 스쳐 간 인연 혹은 영원한 사랑, 사람으로서 기억될 테니. 어쩌면 평생을 함께한다 이야기할 수 있겠다. 정말 다행이야, 하며 가슴을 쓸어내린다.

인연의 신중함에 대한 자각.

그리고 깨달음들.

겁먹을 일 하나 없다.

미래에 대한 불안감도

필요 없는 감정이라며 쉽게 말하고 싶을 정도로.

나는 너의 영원 속에 있고 싶다.

나의 미래를 위해 기도하는 너의 염원 속에 있고 싶다.

별이었다

"네가 무엇이어도 난 너를 사랑해"라며 자신 있게 이야기했다
넌 "붉은 것들이 검게 변해도 사랑해"라며 꼭 껴안아 주었다
내가 사랑하는 네가 가진 결핍들을 사랑하는 내가
해줄 수 있는 일이 이런 일 뿐인 게 창피하지만
내가 사랑하는 네가 가진 결핍들을 사랑하는 내가
해줄 수 있는 일이 있기에 난간을 멀리하게 됐다
네가 가진 결핍이 나를 살린다는 사실에
너의 존재의 가득함을 깨닫게 되었다
지니고 있고 싶었다
광택이 나는 시집들이 눈물을 뱉어냈다
그때의 넌 별이었다
그래서 네가 무엇이든 사랑하겠다
뱉을 수 있었다
네가 무엇이든 사랑할 수 있는 나이기에
넌 내게
별이었다.

네가 가진 결핍이
나를 살린다는 사실에
너의 존재의 가득함을 깨닫게 되었다

blue room 1

적는 일엔 문제가 없지
머릿속 언쟁하는 잡념들 속
장의 주인이 누군지 색출하는 일이 중요할 뿐
고심 끝 적어 내린 것 그런 것은 중요한 것이 아니지
결국 읽어 내리는 건 그대들의 가슴인 걸
그대들은 모르지
나에겐 펜과 종이가 있다는 것을
무게와 의미를 쥐여줄 가볍지 않은 이들을
기다리는 펜과 종이가 있다는 것을
그대들은 모르지
시간 또한 작게나마 존재한다는 것을
파도 앞 창피함에 구색을 갖출 복장을 차려입을
시간 또한 작게나마 존재한다는 것을.

blue room 2

챗 베이커의 연주가 울려 퍼진다
검은 암막 커튼
눈을 멀게 만드는
끝이 가늠되지 않는 평야에 놓여있는 것들
어릴 적
짧은 것들을 쉽게 던질 수 있었던
오롯이 나를 위해 놓여있던 것들
이젠 내 손을 떠난
온몸을 피워내도 닿지 않는
평야에 놓여있는 것들.

미상

매력적인
미상들이 던져대는 것들이란
사라졌던 설렘을 기억하게 했고
주저하던 문밖에 나갈 이유를 던져주었다
더러워 봤자 부코스키만 하겠냐며
가식을 욕하는 가식이 되어버린 이들은
구역질을 유발했고
직면을 피할 수 없는 과거에 대한 순례 속
무지했기에
무엇이든 수없이 두드려야 했다.
숱한 밤 꿈꾸곤 했다
시대를 치고 간 재능과
향할 곳을 잃은 질문과 박수갈채
충격을 안기곤
세상의 놀란 가슴 아는지 모르는지
정처 없이 어디든 몸을 뉘우는
그릇된 미상을.

벽

종이컵 속엔 내 폐가 가득 들어있나
이제는
연기가 아름답게 보이질 않는다
느끼던 것들이 덧없이
응시될 때
찾아온 허무는
벽에 기대는 등에
응원을 주는 것만 같아
이제는
연기가 아름답게 보이질 않는다
마주했던, 기대었던
지탱뿐인 벽처럼

첫째 손가락

버리는 패라 생각했기에
첫째에게 많은 짐을 양도했던 것이다
쇠약해짐에
친절을 빙자한 비겁한 것들은 뿌리치기 쉽지 않았다
욕실, 단칸방, 정리된 연락처
따위와 연관되는 것들과는 더는 가깝고자 하지 않았다
뻔한 표현에 울음을 무는 일이 잦아졌고
제쳐두었던 기본에 마음을 쓰게 되었다
쌓이는 미안함에
더는 유별나지 않을 일이었다.

신앙 없는 신앙심으로

연에도 없는 교회를 찾아가 그렇게 빌어댔다
쫓던 것들이 틀리지 않았다고 말해달라며
평소 신앙 없는 신앙심으로
절박함에 어디서든 부여잡던 두 손은
과분한 것들을 쥐고 있었기에 떨려댔고
서로를 붙들고 있던 손이 떨어지자
몸을 감싸는 지독한 불안에
눈을 마주친 십자가에 매달린 것이었다
절박한 이의 기도는 절박하기에 힘을 잃어갔고
없는 변화에 추위는
두꺼운 외투를 뚫어내곤 하였다
살아내고 싶었기에
신앙 없는 신앙심으로
미칠 듯 기도했다
올려다보던 것들이
나를 지나치지 않게 해달라며.

아쉬움에 돌아가는 열차표를 삼켰다

아끼는 노래의 구절처럼 잠시 머물다 지나갔다
마음처럼 따라와 주지 않던 시곗바늘들은
너를 만나자
몇 번의 눈 깜빡임에 나를 새벽으로 데려왔다
분명히 알고 있었다
창문 또한 알고 있기에 말을 아끼듯
내리는 비를 묵묵히 맞아주는 일이었다
아침엔 일정이 있기에
잠을 청해야 한다며 이른 작별 인사를 건네는
너의 앞에서 나는 작아져야만 했다
괜스레 변명거리를 찾아 헤매었지만
그날따라
운동화는 튼튼했고
비는 내렸지만 적당했고
너에게 여유란 없었고
그렇기에 나에겐 이유란 없었다
역에 나를 놓아줄
운동화에 올라타며
아쉬움에 돌아가는 열차표를 삼켰다
헤어짐에 스쳐 지나간 절망과 애원을 쳐다봤고
녹슨 문고리를 경멸했다

가깝기에 솔직하지 못한 사이에 가슴 아픔에도
지쳐 잠든 너의 모습에 녹슨 문고리를
조심스럽게 돌렸다
곧 있으면 마주칠 열차가 미워
돌아가는 열차표를 삼켰다.

이별 값

그 겨울
손에 쥐여준 차비는
거리에 비해 과했고
반으로 뚝 떼어 양심을 건네자
너의 손은
이별 값이라며
건넨 손을 창피하게 만들었다
빈곤하게도
다시금 주머니로 향할 수밖에 없던 이별 값은
달력을 삼킨 시간을 의심하게 만들었고
너의 시선은 손에서 주머니로
결국엔 단념한 듯
아픈 현실로 향했다
돌아가는 전철 속
목 아프게 올려다보던 꿈이라는 약점이
인연마저 앗아감에도
닿지 않을 것만 같아
익숙지 않은 역 이름이
나를 치고 가도록 두었다
그 겨울
주머니 속 차비와 더불어
건네받은 돋아나는 불신은
비겁하게도 빛이 날지 모르는 곳을 쫓은
내가 치러야 할
이별 값이었다

마주쳤다

오랜만에 마주한 서랍 속
눈을 마주쳤다
수없이 찾아 나섰던 진심은 그 속에 있었고
진심은 너의 것
너는 숨 막히는 곳
오래도 기다려주었고
시간이 안겨준 안정들이
고개를 들 수 있게 도와주고 나서야
눈을 마주칠 수 있었다
어디에 있냐며 울부짖던 것들은
미련한 이의 근처에 항상 존재해왔었고
망각은 기회를 더 이상 허락하지 않았다
진심은 그 속에 있었고
진심은 너의 것
오랜만에 마주한 서랍 속
눈을 마주쳤다.

오늘은 유독 베개가 불편했다

2021년 9월 15일 초판 1쇄 발행
2021년 9월 15일 초판 1쇄 인쇄

지은이　　　|　곽수혁

책임편집　|　송세아
편집　　　　|　이향, 박소라
제작　　　　|　theambitious factory
인쇄　　　　|　아레스트

펴낸이　　　|　이장우
펴낸곳　　　|　꿈공장 플러스
출판등록　|　제 406-2017-000160호
주소　　　　|　서울시 성북구 보국문로 16가길 43-20 꿈공장1층
전화　　　　|　010-4679-2734
팩스　　　　|　031-624-4527
이메일　　　|　ceo@dreambooks.kr
홈페이지　|　www.dreambooks.kr
인스타그램　|　@dreambooks.ceo

ISBN　|　979-11-89129-96-5

정 가　| 11,500원